Bella Sara™

Cet ouvrage a initialement paru en langue anglaise,
chez HarperCollins Children's Books, en 2008,
sous le titre : *Fiery Fiona.*

Traduit de l'anglais par Nathalie Jakubowski.

Conception graphique du roman : Marie Drion

Hachette Livre, 43 quai de Grenelle, 75015 Paris

Le rêve d'Astrid

hachette
JEUNESSE

LE MONDE
DE BELLA SARA
Au-delà de l'aurore
boréale se trouve le royaume
du Nord de Septentrion. C'est là
que vivent les chevaux magiques,
des créatures éternelles et
mystérieuses. Sara et sa jument,
Bella, veillent sur les habitants
du royaume.

Sara
est la déesse du Nord
de Septentrion. Elle connaît
tous les chevaux du royaume.
Un lien très fort l'unit à Bella.
Toutes deux communiquent par
la pensée, et la jument ressent
les émotions de
la jeune fille.

Bella
est une jument magnifique
qui vit entourée de milliers
de chevaux magiques :
ceux qui vivent dans les airs,
les chevaux marins à la recherche
de trésors et, bien sûr,
les chevaux terrestres
qui sont les plus doux.

FIONA

1. Sur la route...

— *Fiona, la jument couleur de feu, galope à travers la forêt. Sa crinière danse dans le vent comme des flammes...*

Astrid Sundlo, douze ans, ferme les yeux et imagine la scène.

— *Avec sa jeune cavalière blonde, elle entre dans la cour du château. Des cris de joie retentissent : les villageois leur font une*

haie d'honneur pour les remercier d'avoir sauvé les Dragons Roses...

— C'est fini ? soupire Tommy, le petit frère d'Astrid. J'en ai assez de Fiona. Je veux une histoire de Nix !

Astrid sursaute et ouvre les yeux. Elle se retrouve là où elle a toujours été : à Canter Hollow, un petit village du Nord de Septentrion, situé au pied du château de Rolandsgaard. Un endroit où il ne se passe jamais rien... contrairement aux légendes qui font rêver Astrid.

Quelle chaleur ! se dit-elle.

C'est l'été. Tommy et Astrid sont assis au bord de la fontaine sur la place du village pendant que leur mère livre ses petits pains et ses gâteaux à l'épicerie. En levant les yeux, Astrid aperçoit un poney en train de brouter à l'ombre d'un arbre. Chaque fois qu'elle voit un cheval, son cœur fait un bond de joie. Elle aime tous les chevaux, quelle que soit leur taille ou leur couleur...

— Astrid, arrête de rêver ! lui dit son frère.

La fillette fronce les sourcils. Pourquoi est-ce qu'on lui reproche toujours de rêver ?

— Je ne rêve pas, dit-elle. J'obéis à la consigne de maman : j'invente des histoires pour te distraire pendant qu'elle fait sa livraison.

— Alors raconte-moi des choses intéressantes ! Le Nix est réel, il vit dans les flammes, alors que ta Fiona n'existe pas !

— Pas du tout ! proteste Astrid. Fiona est l'un des quatre chevaux légendaires qui se sont rencontrés lors du centième anniversaire de la formation des Valkyries…

— Peut-être, mais toi, tu ne la rencontreras jamais. Aucun cheval légendaire ne viendrait dans un endroit aussi ennuyeux que Canter Hollow !

Astrid s'apprête à répondre à Tommy lorsqu'elle aperçoit M. Smithin, le forgeron du village.

— Bonjour, monsieur Smithin ! Avez-vous des chevaux à ferrer, aujourd'hui ?

— Oh ! Bonjour Astrid, répond l'homme. En effet, deux chevaux ailés du comté de Skyloft m'attendent à la forge.

— Est-ce que je peux venir vous aider ?

— Pas question ! s'exclame Tommy. Tu as promis à maman de veiller sur moi ! Et puis, il fait trop chaud pour travailler à la forge !

Au même moment, Mme Sundlo ressort de l'épicerie.

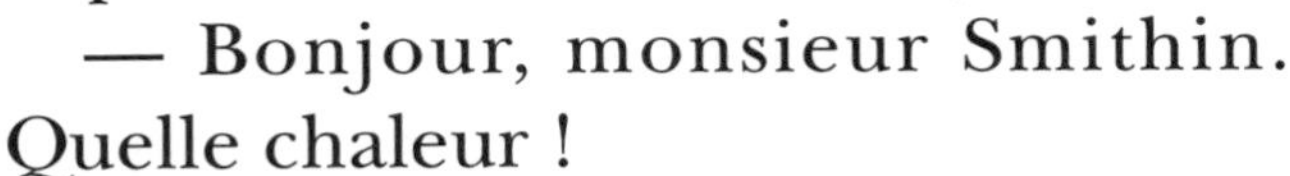

— Bonjour, monsieur Smithin. Quelle chaleur !

— En effet, madame Sundlo, répond le forgeron. Une bonne pluie nous ferait du bien !

— Peut-être… mais souvenez-vous des orages terribles que nous avons eus au printemps ! Tous ces torrents de boue et ces glissements de terrain !

— Maman, demande Astrid, est-ce que je peux aller travailler avec monsieur Smithin à la forge ?

— Désolée, ma chérie. J'ai besoin de toi et de ton frère pour m'aider à finir ma livraison avant le dîner.

— Alors demain, peut-être ? insiste Astrid.

Sa mère secoue de nouveau la tête.

— Demain, tu dois aller voir ton grand-père.

— Oh ! Une promenade en montagne ? demande M. Smithin. Quelle belle idée ! Salue bien mon cher ami Nikolas de ma part, Astrid !

— C'est promis, dit la fillette.

Déçue de ne pas voir les chevaux ailés à la forge, elle se console à l'idée de rendre visite à son grand-père. Peut-être la laissera-t-il monter Paal, son vieux cheval ?

Ce n'est sans doute pas aussi bien que de monter Fiona, se dit-elle, *mais c'est mieux que rien !*

Et puis Astrid aime la montagne.

Le lendemain, il fait toujours aussi chaud. Astrid rejoint ses parents et ses trois frères, Tommy, Kim et Walt, à la table du petit déjeuner.

— Le feu a l'air encore plus brûlant que d'habitude, dit-elle en regardant la cheminée.

— C'est le Nix ! s'écrie Tommy. Il vit dans les flammes !

— Arrêtez de raconter toutes ces histoires à propos du Nix, dit Astrid aux deux aînés, Walt et Kim. Tommy y croit vraiment !

— Astrid, dit M. Sundlo, tu ferais mieux de te mettre en route pour aller chez ton grand-père. Il fait déjà très chaud, et on prévoit un gros orage pour cet après-midi.

La fillette termine son petit déjeuner et prend le chemin de la montagne, son panier de gâteaux à la main.

Au bout d'une demi-heure de marche, le village est déjà loin derrière elle.

Si j'avais un cheval, se dit-elle, *le trajet serait plus facile… et plus amusant !*

Une heure plus tard, elle aperçoit le mont Blanc-Manteau avec, au sommet, les statues géantes de Bella et Bello, les deux chevaux magiques les plus célèbres du Nord de Septentrion.

Astrid s'arrête pour sortir une pomme de son sac.

Quelle chaleur… Vivement que j'arrive chez grand-père pour boire un verre d'eau fraîche ! se dit-elle.

Astrid adore son grand-père. Il vit dans un chalet près d'un torrent. Il sculpte des meubles et des statues

d'animaux en bois. Mais surtout, c'est la seule personne qui ne dit jamais à Astrid qu'elle devrait arrêter de rêver… au contraire, il l'encourage !

Après avoir fini sa pomme, la fillette examine le ciel. De gros nuages noirs arrivent… L'orage ne va pas tarder.

— Je ferais mieux de me remettre en route, décide Astrid.

Mais au moment de repartir, elle voit un gros rocher au bord du chemin.

— Bizarre ! murmure-t-elle. La dernière fois que je suis passée ici, ce rocher n'était pas là. Il a dû se détacher de la montagne…

En levant les yeux vers l'endroit d'où le rocher s'est détaché, Astrid aperçoit un trou… On dirait l'entrée d'une grotte ! Intriguée, elle pose son panier et grimpe le long de la pente.

Mais là-haut, une déception l'attend : ce n'est pas une grotte, mais juste un trou. Pourtant, à y regarder de plus près… quelque chose est caché à l'intérieur ! Un paquet enveloppé dans du cuir et entouré par un morceau de ficelle usé.

C'est peut-être un trésor ! se dit Astrid.

Mais en ouvrant le paquet, elle trouve de vieux outils rouillés : un marteau, un burin et d'autres objets en métal sans intérêt.

— Des accessoires de tailleur de pierre, murmure-t-elle. Je les donnerai à grand-père…

Astrid redescend sur le chemin. Mais quand elle se penche pour ramasser son panier, il bouge… et s'en va tout seul !

2. Bouchon

— Hé ! s'écrie-t-elle.

Astrid court après son panier et le soulève. En dessous, elle découvre une souris à la fourrure grise avec une longue queue en forme de pompon ! Le panier est si lourd que le petit rongeur est essoufflé ! Affolé, il s'enfuit pour se cacher derrière un buisson au pied de la montagne.

— Reviens ! s'écrie Astrid. Je ne te ferai aucun mal ! Je veux seulement… Oups !

Elle s'arrête juste à temps : un grand trou est dissimulé derrière le buisson. Un pas de plus, et elle tombait dedans !

Ouf ! se dit-elle.

Mais la souris a eu moins de chance : elle s'accroche désespérément au rebord du trou avec ses griffes, ses pattes arrière dans le vide.

— Je vais te sortir de là ! s'écrie Astrid.

Elle s'agenouille au bord du trou et tend la main pour attraper l'animal. Puis elle le pose sur un gros caillou. La pauvre petite bête est si terrorisée que ses moustaches en tremblent !

— Tu n'as plus rien à craindre, lui dit Astrid.

Le petit rongeur l'observe avec de grands yeux reconnaissants. Il saute sur le genou d'Astrid, remonte le long de son bras et va se nicher au creux de son épaule.

— Tu es trop mignon ! dit Astrid. Je vais t'appeler Bouchon !

L'animal pousse un cri de joie en agitant ses moustaches.

— Comme c'est bizarre, ce trou au pied de la montagne, dit Astrid. Je ne l'avais jamais vu avant. Je me demande si...

Elle se penche au-dessus de la faille.

— Oh ! Regarde, Bouchon ! On dirait l'entrée d'un tunnel.

En effet, il y a une ouverture dans la paroi de la montagne, quelques centimètres en dessous du bord.

Le cœur battant, Astrid s'assoit au bord du trou et se laisse glisser jusqu'à l'entrée du tunnel.

— On dirait qu'il y a de la lumière, tout au bout !

Elle s'avance dans le noir, son nouvel ami sur l'épaule. Quelques minutes plus tard, elle arrive dans une grande pièce sans plafond, entourée de hauts murs de pierre. Le sol est couvert de mousse. En levant les yeux, Astrid aperçoit le ciel et les statues de Bella et Bello. Devant elle, il y a une porte, elle aussi en pierre.

— Je parie que personne n'a jamais vu cet endroit !

Astrid connaît par cœur toutes les légendes du Nord de Septentrion, mais elle n'a jamais entendu parler d'un tunnel magique au pied du monument de Bella et Bello. Une frise sculptée représentant des chevaux orne le bas de la porte. Astrid se penche pour l'admirer… et reconnaît l'un des chevaux.

— C'est Fiona ! murmure-t-elle, émerveillée.

Au centre de la porte est gravée une orchidée. Une inscription dans une langue inconnue entoure la fleur. La porte est tout aussi mystérieuse : aucune poignée ne permet de l'ouvrir. Astrid la pousse de toutes ses forces, mais rien ne se passe.

— Qu'en penses-tu, Bouchon ?

L'animal agite ses moustaches.

— Bah ! Je demanderai à grand-père, dit Astrid. On reviendra peut-être un autre jour.

Un peu déçue, Astrid fait demi-tour et ressort du tunnel. Une fois dehors, après avoir ramassé son panier et les vieux outils, elle regarde le ciel.

— Les nuages sont encore plus noirs que tout à l'heure. Vite !

Astrid reprend son chemin, Bouchon bien calé au fond de sa poche.

Après quinze minutes de marche, elle arrive enfin au chalet de son grand-père. Le vieil homme est dans le jardin, occupé à remplir un seau dans le ruisseau. Paal, son cheval et son fidèle compagnon, se tient non loin de là.

— Quelle belle surprise ! s'exclame Nikolas en voyant sa petite-fille.

Astrid suit son grand-père à l'intérieur du chalet.

— J'ai deux cadeaux pour toi ! annonce-t-elle.

Tout en lui racontant ses aventures, elle sort les gâteaux de son panier, puis le paquet contenant les vieux outils.

— Alors, grand-père, qu'en penses-tu ? lui demande-t-elle.

— Hmm... dit Nikolas en examinant les outils. Ces objets sont très anciens. Ils appartenaient à un tailleur de pierre.

— J'en étais sûre ! Tu penses que c'est la personne qui a sculpté la porte secrète ? Et le monument de Bella et Bello ?

— Peux-tu rester ici ce soir ? lui demande son grand-père.

— Non. Maman a besoin de moi demain pour ses livraisons.

— Alors je te conseille de repartir tout de suite. L'orage ne va pas tarder et je préfère que tu arrives chez toi avant la pluie. Crois-en ma vieille expérience, il y aura d'autres glissements de terrain !

Astrid aimerait rester encore un peu avec son grand-père, mais elle sait qu'il a raison. La montagne pendant un orage, c'est trop dangereux.

— D'accord, dit-elle. Veux-tu que je te laisse les vieux outils ?

Nikolas lui sourit.

— Non, merci. Ils servent à tailler la pierre. Moi, je sculpte le bois. Je suis trop vieux pour changer de métier ! Garde-les, on ne sait jamais...

Après avoir embrassé son grand-père, Astrid ressort du chalet.

— Au revoir, Paal ! dit-elle en passant devant le vieux cheval. J'espère revenir bientôt !

L'animal dresse l'oreille, comme pour la saluer. Son panier vide à la main, Bouchon au fond de sa poche, Astrid repart sur le chemin.

Se fiant aux conseils de son grand-père, elle marche à vive allure et ne s'arrête à aucun moment, même pas pour cueillir des fleurs. Pourtant, à la moitié du trajet, elle sent tomber les premières gouttes de pluie. Quelques secondes plus tard, un éclair déchire le ciel… et un bruit terrible retentit tout près !

3. L'orage

Bouchon pousse un petit cri.

— Ne t'inquiète pas ! lui dit Astrid. Ce n'est que le tonnerre !

Mais elle n'est pas rassurée non plus.

La pluie tombe de plus en plus fort. La fillette cherche un abri du regard. Soudain, elle réalise qu'elle se trouve tout près de l'entrée du tunnel secret. Vite, elle s'élance en courant. Arrivée au bord du trou, elle fait bien attention à ne pas glisser et se faufile dans l'ouverture du tunnel.

— Ouf, nous voilà au sec ! dit-elle.

Astrid s'enfonce dans le passage. Au bout de quelques minutes, elle se retrouve dans la salle à ciel ouvert située au pied du monument de Bella et Bello. La mystérieuse porte de tout à l'heure est toujours là, mais Astrid sait qu'il est impossible de l'ouvrir. Par contre, juste à côté, elle aperçoit l'entrée d'un autre tunnel.

— Je pense que l'orage va durer longtemps, dit-elle à Bouchon. On a le choix entre rester ici et s'ennuyer, ou bien explorer l'autre passage… Qu'est-ce que tu en penses ?

Bouchon la regarde en remuant les moustaches.

— On y va ! s'exclame Astrid en s'élançant sous la pluie.

Quelques secondes plus tard, elle atteint l'entrée du deuxième tunnel.

— Il fait si noir ! dit-elle. Si seulement j'avais une bougie !

Bouchon grimpe jusqu'à son épaule et sautille vers le plafond. Astrid lève les yeux et découvre une dizaine de grosses chenilles brillant d'une douce lumière verte.

— Des lucioles ! s'exclame-t-elle. Bravo, Bouchon !

Délicatement, Astrid détache une des lucioles du plafond pour la poser au creux de sa main.

— Petite créature, dit-elle en lui caressant le dos, tu veux bien m'aider à traverser ce tunnel ?

L'insecte se tortille et se met à briller encore plus fort.

— Oh, merci !

Grâce à la luciole, Astrid n'a aucun mal à trouver son chemin dans le passage. Au bout d'un long moment, la lumière du jour commence à percer l'obscurité.

— On est arrivés au bout ! s'exclame-t-elle.

En effet, le tunnel s'ouvre sur une vallée pleine de gros rochers et de fleurs des champs. L'orage est moins violent, mais il fait sombre et il continue à pleuvoir.

Soudain, un éclair illumine la vallée. Astrid écarquille les yeux : elle vient de voir une tache bleue, près du plus gros rocher de la prairie. *Bizarre,* se dit-elle. *Ça ne peut pas être une fleur…*

— On va voir ça de plus près ! dit Astrid à Bouchon.

Elle s'élance en courant sous la pluie. Arrivée à côté du gros rocher, elle regarde autour d'elle : elle se trouve au milieu d'un cercle de pierres. Une vieille femme au visage ridé est assise devant un feu de camp. Au-dessus de sa tête, un grand morceau de tissu bleu la protège de l'orage.

— Sois la bienvenue, dit-elle à Astrid. Viens te sécher près du feu.

Mon nom est Ophelia True. Je suis une voyageuse.

En entendant la voix de la vieille femme, Bouchon sort de la poche d'Astrid. Il bondit sur le sol et grimpe sur les genoux d'Ophelia. Astrid est rassurée : si Bouchon lui fait confiance, il n'y a rien à craindre !

— Merci, dit-elle en s'asseyant près du feu. Je m'appelle Astrid, et voici Bouchon.

— Quel bon vent t'amène par ici ? lui demande Ophelia.

Astrid lui raconte les péripéties de sa journée. La vieille dame l'écoute en hochant la tête. Bientôt, Astrid se met à lui parler de sa famille, de son amour pour les chevaux et de son rêve de vivre un jour une grande aventure comme les héroïnes.

— J'aimerais tant rencontrer Fiona,

explorer le Nord de Septentrion... Mais tout le monde me dit d'arrêter de rêver !

— Rêver est la plus belle chose au monde, répond Ophelia.

Astrid lève les yeux vers le ciel. Il ne pleut plus, mais la nuit est déjà tombée. Ses parents doivent s'inquiéter. Mais elle se sent si bien, près du feu...

Pendant ce temps, Ophelia prend un grand carnet blanc et commence un dessin au fusain. Poussée par la curiosité, Astrid se penche pour mieux voir. Au bout de quelques minutes, Ophelia lui tend son croquis.

Astrid n'en croit pas ses yeux. C'est un portrait de Fiona ! Le dessin est si beau et si vivant que la jument semble réelle sur le papier… Soudain, la fillette entend un hennissement de cheval.

— Il y a un cheval, ici ? demande Astrid, étonnée.

— Quelqu'un aimerait faire ta connaissance, dit Ophelia en souriant.

Astrid se retourne… et son cœur fait un bond dans sa poitrine.

— Fiona !

4. La rencontre

Fiona est encore plus belle en vrai que dans les rêves d'Astrid. Grande et majestueuse, la jument magique possède une longue crinière couleur de feu qui lui arrive aux genoux.

— Fiona, je te présente Astrid, dit Ophelia. Elle doit rentrer chez elle. Tu veux bien l'aider ?

Dans son esprit, Astrid reçoit la réponse de la jument.

— Elle m'a dit... enfin, elle m'a *transmis*... qu'elle était d'accord, dit la fillette. Ça alors ! Je savais que les chevaux magiques communiquaient par la pensée, mais je ne l'avais jamais vécu en vrai !

— En route, ma chère, lui dit Ophelia. Il fait déjà nuit et ta famille doit s'inquiéter.

Astrid a un peu le trac à l'idée de chevaucher Fiona. Heureusement, la jument se place à côté d'un rocher pour l'aider à grimper sur son dos.

— Merci pour tout ! dit Astrid à Ophelia.

— Accroche-toi bien, répond la vieille dame. Fiona est beaucoup plus rapide que le cheval de ton grand-père ! Tu vas adorer...

Astrid n'a pas le temps de lui demander comment elle sait que son grand-père a un cheval. Comme par magie, Fiona s'élance au trot, puis au galop. En effet, la jument court très vite, mais avec souplesse, si bien qu'Astrid se sent parfaitement en sécurité sur son dos.

Elle est si rapide que je sens à peine les gouttes de pluie ! se dit-elle. *Mais j'ai l'impression qu'elle boite sur sa jambe arrière droite… Je demanderai à M. Smithin, le forgeron, s'il peut regarder son sabot.*

Fiona lui envoie une série d'images par la pensée. Astrid voit quatre jeunes chevaux au bord du Lac des Larmes :

une pouliche couleur de feu, un poulain couleur noisette avec de petites ailes, un poulain noir avec une tache en forme d'éclair, et une pouliche marron au museau délicat. Les quatre jeunes chevaux broutent ensemble, libres et heureux. Arrive alors une fillette aux grands yeux tristes. Astrid voit défiler d'autres images dans son esprit : une belle jument blanche. Une fleur de lotus sur l'eau. Une femme assise derrière un métier à tisser. Une belle tapisserie…

Astrid rouvre les yeux. Autour d'elle, il fait nuit. Elle connaît les histoires du Nord de Septentrion par cœur, et elle sait que Fiona vient de lui envoyer les images de la première rencontre des quatre chevaux légendaires à l'occasion du centième anniversaire de la communauté des Valkyries. La petite fille à l'air triste est une jeune déesse prénommée Sara. Les trois jeunes chevaux s'appellent Nike, Tonnerre et Jewel. Quant à la pouliche couleur de feu, il s'agit bien sûr de Fiona ! À l'idée de chevaucher sa jument magique préférée, Astrid sent des larmes de joie lui monter aux yeux.

Les minutes ou les heures passent. Astrid n'a plus aucune notion du temps. Enfin, elle arrive devant sa maison. Malgré l'heure tardive, des bougies sont allumées aux fenêtres. Toute sa famille se précipite dehors pour l'accueillir.

— Te voilà enfin ! s'exclame sa mère. J'étais si inquiète, avec cet orage !

Walt et Kim aident Astrid à descendre de cheval et l'accompagnent à l'intérieur. Elle essaie de leur raconter ses aventures, mais personne ne l'écoute : ses parents sont trop occupés à l'embrasser et à la gronder en même temps ! De toute manière, Astrid réalise qu'elle est trop fatiguée pour parler. Sa mère la porte jusque dans sa chambre et la borde dans son lit. En posant la tête sur son gros oreiller blanc, la fillette s'endort…

Le lendemain matin, Astrid se réveille et se précipite à sa fenêtre. Fiona est toujours là, en train de brouter devant la maison.

Ce n'était pas un rêve, se dit Astrid. *C'était bien réel !*

Elle se dépêche de s'habiller et court dehors pour retrouver Fiona. Folle de joie, elle jette ses bras autour de son cou pour l'embrasser et la jument frotte son museau contre sa joue.

Astrid passe le reste de la journée avec Fiona. Pour une fois, Mme Sundlo demande aux garçons de l'aider à cuire les gâteaux, si bien qu'Astrid a toute la journée pour s'amuser. Elle emporte même un pique-nique pour passer le plus de temps possible avec Fiona.

Je me demande pourquoi elle m'a choisie, se dit-elle. *Mais ça n'a pas d'importance. Je suis juste contente qu'elle soit là !*

Après le dîner, Astrid rejoint Fiona dans le jardin jusqu'à la nuit tombée.

À son retour, Tommy l'attend dans sa chambre pour qu'elle lui raconte une histoire.

— Une histoire de Nix, je suppose ?

Mais le petit garçon secoue la tête.

— Non, pas ce soir. Raconte-moi une histoire avec Fiona.

Astrid sourit. Elle n'est pas la seule à être tombée sous le charme de la belle jument !

— D'accord, dit-elle. Alors écoute bien. Il y a très longtemps, à l'époque des Valkyries, vivait une jument couleur de feu prénommée Fiona…

— Aaaaaah !

Un hurlement réveille la maison endormie.

— Tommy ! s'exclame Astrid en sortant de sa chambre.

Dans le couloir, elle retrouve ses parents et ses deux grands frères. Tous accourent dans la chambre de Tommy. Le petit garçon est assis dans son lit, les larmes aux yeux.

— Que se passe-t-il ? lui demande Astrid.

— Le Nix ! sanglote Tommy. Il était dans ma chambre… Il a failli mettre le feu à mon lit !

Walt se moque de lui.

— Un cauchemar ! dit-il. J'en étais sûr. Merci de nous avoir réveillés en pleine nuit, Tommy !

— Ne vous disputez pas, dit Mme Sundlo. Tommy, je vais te chercher un verre d'eau.

— C'est votre faute, dit Astrid à ses frères. Vous lui faites peur avec vos histoires de Nix !

— Non ! dit Tommy. C'était pour de vrai ! Le Nix était dans mon lit. Il a même grimpé sur ma jambe, regardez !

Astrid examine la jambe de son petit frère… et pousse un cri : sa peau est couverte de traces noires en forme de pieds ! Par terre, près du lit, les mêmes traces de pas se dirigent vers la porte. Chacune possède quatre orteils et quatre griffes.

— Bizarre, vous ne trouvez pas que ça sent la fumée ? demande Kim.

Au même moment, Mme Sundlo pousse un cri dans la cuisine.

— AU FEU !

5. Les incendies

Toute la famille se précipite dans la cuisine. Le tas de bois à côté de la cheminée est en feu ! En quelques secondes, les flammes atteignent les rideaux de la fenêtre !

— Vite ! crie M. Sundlo. Walt, Astrid, prenez les seaux pour ramener de l'eau du puits ! Kim, prends des

torchons pour étouffer les petites flammes. Tommy, reste où tu es !

Astrid voit une flamme sauter des rideaux pour mettre le feu à la nappe. Une autre s'échappe de la cheminée pour embraser le tapis. Mais la fillette voit alors autre chose : une petite silhouette noire perchée sur le rebord de la fenêtre, qui l'observe avec ses yeux rouges !

— Astrid, arrête de rêver ! Viens nous aider ! crie Kim.

La fillette obéit et court prendre un seau pour aller au puits. À mi-chemin, elle se retourne. Une épaisse fumée noire s'échappe de la fenêtre de la cuisine. Il faut faire très vite ! Astrid baisse les yeux sur son seau.

C'est inutile, se dit-elle. *Le seau est beaucoup trop petit... On ne pourra jamais éteindre cet incendie !*

Les larmes aux yeux, elle sent soudain une présence amie. Fiona vient la rejoindre. Au même moment, une série d'images défile dans son esprit : elle est assise sur le dos de Fiona, une dizaine de seaux accrochés par une corde autour de la jument. Ensemble, elles vont remplir les seaux dans la mare au fond du jardin et repartent en direction de la maison, où les attendent les membres de sa famille.

— Merci, Fiona ! Quelle bonne idée ! s'écrie Astrid en attachant les seaux grâce à la corde enroulée près du puits.

Une fois les seaux bien attachés autour de la jument, Astrid grimpe sur son dos.

— Où vas-tu ? lui demande Kim.

— Chercher de l'eau ! lui répond-elle.

Rapide comme l'éclair, Fiona galope jusqu'à la mare et pénètre dans l'eau. Astrid frissonne. L'eau est glaciale, mais elle n'hésite pas à y plonger les mains pour permettre aux seaux de se remplir plus vite.

Ça y est, dit-elle mentalement à Fiona quelques instants plus tard. Aussitôt, la jument repart au galop vers l'incendie. Astrid s'accroche à sa crinière pour ne pas tomber. Devant la maison, ses parents et ses frères l'attendent pour récupérer les seaux.

— Bravo ! lui lance son père. Mais il nous faut encore plus d'eau ! Retourne en chercher !

Astrid et Fiona refont trois allers-retours entre la maison et la mare,

rapportant à chaque voyage des seaux remplis d'eau. Au bout du troisième trajet, Astrid voit que sa famille a réussi à éteindre le feu. Il n'y a plus aucune flamme.

— On a réussi ! s'écrie Mme Sundlo, essoufflée.

Astrid descend de cheval.

— Merci, murmure-t-elle en tapotant l'encolure de Fiona, les mains tremblantes. Tu as sauvé notre maison !

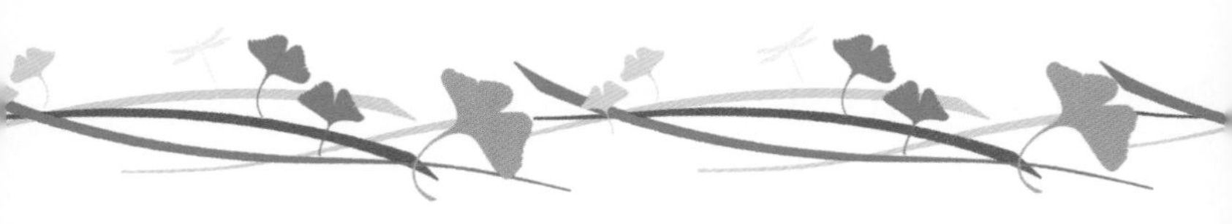

Le lendemain matin, Astrid se souvient de la silhouette noire qu'elle a aperçue dans la cuisine. Elle en parle à son père, occupé à nettoyer les dégâts causés par l'incendie.

— Papa, tu crois que… enfin, le Nix est une invention, n'est-ce pas ?

Son père lui sourit gentiment.

— Ne t'inquiète pas, Astrid. Tu venais de te réveiller, il y avait des flammes et de la fumée partout dans la cuisine... C'est normal que tu aies cru voir des choses.

La fillette se mord les lèvres. Elle voudrait admettre l'explication de son père, mais elle sait ce qu'elle a vu ! Heureusement, Fiona l'attend dehors, et Astrid chasse ces pensées désagréables de son esprit.

La nouvelle de la présence de Fiona chez les Sundlo a vite fait le tour du village. Toute la matinée, voisins et habitants viennent admirer la jument. L'après-midi, Mme Sundlo demande à Astrid de l'aider à livrer ses pains et ses gâteaux. La fillette préférerait rester avec Fiona, mais elle n'ose pas dire non à sa mère.

Après avoir livré les habitants et les commerçants du village, Astrid et sa mère se rendent chez Mme Olav et sa fille Carla. Les Olav habitent une maison bien plus grande que celle des Sundlo, et ils possèdent trois beaux chevaux. À leur arrivée, Astrid et sa mère découvrent Mme Olav en train de monter Area, une jument blanche à la crinière couleur arc-en-ciel.

— Venez, leur dit Mme Olav. Carla va être très contente de te voir, Astrid !

En voyant arriver son amie, Carla accourt vers elle.

— Alors, c'est vrai ? lui demande-t-elle. Fiona est chez toi ?

Astrid lui sourit.

— Oui, dit-elle. J'ai plein de choses à te raconter !

Les deux amies vont dans le salon. Un feu bien chaud brûle dans

la grande cheminée. Encore traumatisée par les événements de cette nuit, Astrid va s'asseoir le plus loin possible. Elle présente d'abord Carla à Bouchon, puis se lance dans le récit de ses aventures.

Mais arrivée à la moitié, elle s'interrompt. Quelque chose attire son attention sur la cheminée... Une petite silhouette bondit hors des flammes, en laissant des empreintes noires sur le sol ! La créature ressemble à un diablotin couvert de cendres, avec des flammes à la place des cheveux. Sous les yeux d'Astrid, il saute sur le rebord de la fenêtre... et les rideaux prennent feu !

— Au feu, au feu ! s'écrie Carla.

Elle prend un vase de fleurs et jette l'eau sur les rideaux. Aussitôt, les flammes s'éteignent.

— C'est le Nix ! s'exclame Astrid. Je l'ai bien vu, cette fois !

Déterminée à ne pas laisser la méchante créature lui échapper, elle s'élance à sa poursuite et sort de la maison. Trop tard : le Nix a déjà parcouru la moitié du jardin et se dirige vers le village. Il jette des flammes sur son passage, si bien qu'Astrid doit s'arrêter tous les trois mètres pour étouffer l'incendie.

— À l'aide ! s'écrie-t-elle.

Alertés par ses cris, les habitants de Canter Hollow sortent de chez eux pour éteindre le feu. Astrid continue à courir, mais elle perd le Nix de vue à l'entrée du village. Heureusement, elle n'a aucun mal à suivre sa trace :

la créature sème des cendres et des flammes partout où elle passe ! Astrid traverse le village et arrive sur la place centrale.

— Bizarre, se dit-elle. Les traces du Nix ont l'air de s'arrêter là…

Elle regarde les commerces autour de la place : l'épicerie, le bureau de poste, l'atelier de M. Smithin, le café… Rien ! Pas le moindre indice ! Comme si le Nix avait fait demi-tour… Soudain, Astrid comprend pourquoi : la place est recouverte de gros pavés ronds auxquels il est impossible de mettre le feu. Le Nix n'a donc pas pu la traverser !

Tout à coup, Astrid entend des gens crier derrière elle. Les habitants du village sont occupés à éteindre le dernier incendie. La fillette accourt pour les aider.

— Ça y est ! s'exclame un villageois quelques minutes plus tard en jetant un seau d'eau sur les dernières flammes.

— Ouf ! soupire Astrid en s'essuyant le front. Ça va, Bouchon ?

Elle baisse les yeux vers sa poche pour s'assurer que son ami va bien : Bouchon a les moustaches noires de suie, mais il semble en pleine forme.

Quand Astrid relève la tête, tous les villageois la regardent avec méchanceté. Parmi eux, certains murmurent le mot « Nix ». Ils ont entendu parler de l'incendie qui a éclaté chez les Sundlo pendant la nuit, et ils commencent à se poser des questions : pourquoi le petit monstre surgit-il toujours en présence d'Astrid ?

M. Briss, le gardien du village, s'avance vers la fillette.

— As-tu provoqué le Nix ? lui demande-t-il.

— Non ! proteste-t-elle. Enfin... je ne crois pas...

Mais elle ne termine pas sa phrase. Des murmures admiratifs s'élèvent autour d'elle. Astrid se retourne et voit la foule s'ouvrir pour laisser passer Fiona. La jument s'arrête juste devant elle, baisse la tête et lui envoie une image : la maison de son amie Carla. Astrid grimpe sur le dos de la jument pour se rendre chez les Olav.

En chemin, elle remarque de nouveau que Fiona boite de sa jambe arrière droite et se souvient qu'elle voulait l'emmener chez M.Smithin.

— Tu es d'accord ? demande-t-elle à Fiona.

La belle jument pousse un hennissement de joie. Astrid descend de son dos pour ne pas la fatiguer et, ensemble, elles se rendent chez le forgeron.

— C'est un honneur pour moi, déclare M. Smithin quelques minutes plus tard quand Astrid lui présente Fiona.

Il soulève le sabot arrière droit de la jument.

— Ah ! Voilà le problème : son fer est tordu !

— Est-ce que vous pouvez le réparer ? demande Astrid.

Le forgeron réfléchit.

— Hélas, non ! Ces sabots sont en durium, un métal très rare et très dur. Je n'ai pas les outils nécessaires.

— En durium ? répète Astrid. J'ai trouvé des outils de sculpteur, l'autre jour. Je crois qu'ils sont en durium. Ça pourrait vous aider ?

Le forgeron semble étonné.

— Des outils en durium ? Pourquoi pas... Je peux toujours essayer. Je ne suis pas sûr de réussir à réparer ton fer, dit-il à Fiona, mais je pourrai au moins le détacher. Tu seras plus à l'aise pour marcher.

— Je rentre chez moi chercher les outils, je reviens tout de suite ! s'exclame Astrid.

À son retour, elle constate que M. Smithin a posé un seau d'eau devant la jument pour lui permettre de se rafraîchir. Fiona a l'air d'apprécier.

— Et voilà ! dit-elle en ouvrant l'enveloppe de cuir contenant les vieux outils.

— Intéressant… murmure M. Smithin en tendant la main vers le marteau.

Mais il n'a pas le temps de finir son geste. La porte métallique de la forge s'ouvre avec fracas. Astrid pousse un cri. Une petite créature enflammée vient de surgir !

6. Le secret du Nix

— C'est le Nix !

La fillette suit la créature du regard et la voit s'arrêter devant la table où sont posés les outils en durium. Le Nix les observe avec fascination et pousse un petit cri triomphal.

— Il me suit à cause de mes outils ! réalise soudain Astrid. Mais pourquoi ?

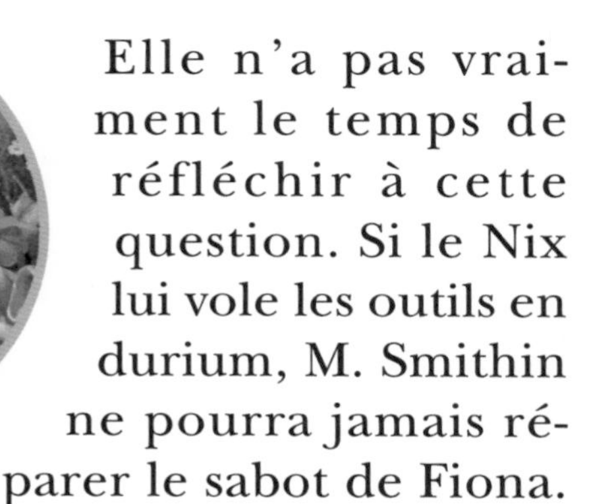

Elle n'a pas vraiment le temps de réfléchir à cette question. Si le Nix lui vole les outils en durium, M. Smithin ne pourra jamais réparer le sabot de Fiona. Rapide comme l'éclair, Astrid s'empare des outils, sort de l'atelier du forgeron et court vers la fontaine de la place du village. Là, elle saute dans l'eau, en ne laissant dépasser que sa tête, et observe ce qui se passe chez M. Smithin.

Furieux, le Nix fait des zigzags dans la cour arrière de l'atelier, projetant des flammes et de la fumée autour de lui.

— Va-t'en, sale monstre ! s'exclame M. Smithin en lui jetant le seau d'eau.

On entend un *splash*, suivi d'un grésillement et d'un cri mécontent. Un gros nuage noir recouvre l'atelier et la place du village.

Toujours assise dans la fontaine, Astrid tousse et se frotte les yeux. Quand le nuage se dissipe, le Nix a disparu. Mais l'atelier de M.Smithin est dans un triste état : il y a de la cendre, des outils et des débris partout. Astrid ressort de la fontaine, ruisselante, et court aider le forgeron à nettoyer son atelier.

—Je crois qu'il veut mes outils, dit-elle.

M. Smithin hoche la tête.

— Ça expliquerait pourquoi il te suit, dit-il. Rien ne pourra l'arrêter !

Astrid a les larmes aux yeux. Le forgeron dit vrai. C'est sa faute si le Nix a mis le feu à sa maison et

au village. Les habitants avaient raison de lui faire tant de reproches !

— Je dois partir, dit-elle. Loin d'ici. Pourquoi pas chez mon grand-père ?

— Très bonne idée, répond M. Smithin. Nikolas est un homme plein de sagesse. Il saura comment t'aider.

Il se tourne vers la jument.

— Fiona, veux-tu accompagner Astrid chez son grand-père ? Avec toi, je sais qu'elle sera en sécurité.

La jument hennit.

— Mais d'abord, monsieur Smithin, pouvez-vous lui ôter son fer cassé ? Je ne veux pas que Fiona me porte si elle souffre.

— Bien sûr ! répond le forgeron en ouvrant l'enveloppe de cuir contenant les outils en durium.

Il s'assoit sur un petit tabouret, soulève le sabot de la jument et se met au

travail. Au bout de longues minutes, il parvient à enlever le fer, qui tombe par terre avec un bruit métallique.

— Voilà ! dit-il en se relevant. Vous pouvez y aller. Bonne route !

Quand Astrid, Fiona et Bouchon arrivent au chalet de Nikolas, il fait déjà nuit. La fillette est si fatiguée qu'elle a beaucoup de mal à ne pas s'endormir sur le dos de la jument. Fiona boite moins qu'avant, mais elle semble quand même gênée par l'absence de son quatrième fer.

Dès que j'en aurai terminé avec le Nix, j'aiderai Fiona à réparer son sabot, se dit-elle. *C'est normal, après tout ce qu'elle a fait pour moi !*

La jument enjambe le petit torrent et s'arrête devant le chalet. Astrid descend de cheval en prenant soin de ne pas écraser Bouchon, qui dort dans sa poche. Nikolas sort dans le jardin, une lanterne à la main.

— Astrid, qu'est-ce que tu fais ici, en pleine nuit ? Est-ce que tout va bien ? La famille…

— Ne t'inquiète pas, grand-père. Tout le monde va bien.

Astrid lui raconte sa journée et la raison de sa visite. Nikolas l'écoute avec attention.

— On trouvera une solution demain matin, dit-il à Astrid. Mais d'ici là… au lit, jeune demoiselle ! Je vais installer ton amie Fiona dans la grange avec Paal. Tout ira mieux après une bonne nuit de sommeil !

— Aïe !

Astrid se réveille au milieu de la nuit. Bouchon est perché sur sa tête et lui tire les cheveux.

— Aïe ! Mais… arrête !

Bouchon saute sur la table de nuit et montre quelque chose dans le noir. Astrid se redresse dans son lit en se frottant la tête. Devant elle, deux yeux rouges percent l'obscurité… Le Nix !

Vite, Astrid attrape la grosse bougie posée sur sa table de nuit et la jette en direction de la créature. Un bruit retentit, suivi d'un couinement de douleur… Mais le Nix bondit à travers la fenêtre ouverte et s'échappe !

— Ça suffit ! s'écrie Astrid. J'en ai assez que tu me suives partout !

La fillette se précipite hors de sa chambre et franchit la porte du chalet. Une fois encore, le Nix l'a devancée : il file déjà à travers le jardin en jetant des flammes et des étincelles sur son passage. Sans s'arrêter, il jette un coup d'œil par-dessus son épaule pour s'assurer qu'Astrid n'est pas derrière lui. Ses yeux rouges brillent avec satisfaction dans la nuit. Mais soudain, il trébuche sur un caillou, fait un vol plané… et atterrit dans le ruisseau !

Il y a un *splash*, suivi d'un grésillement. Puis c'est le silence. Astrid court au bord du ruisseau et lâche un petit cri de stupeur. Une forme noire est immobile au fond du ruisseau.

— Ça alors… Je crois que je viens de tuer le Nix !

Un hennissement brise le silence, suivi par un bruit de sabots. Fiona surgit dans la nuit et se dirige vers le ruisseau. Astrid n'en croit pas ses yeux : la jument plonge son museau dans l'eau pour en ressortir une petite chose noire et trempée, coincée entre ses dents !

— J'ai f…f…fr…froid ! balbutie la créature.

— Tu peux parler ? s'exclame Astrid.

C'est donc ça, le Nix ? Cette petite chose tremblante et sans défense ? Une série d'images envoyées par

Fiona envahit l'esprit d'Astrid : le Nix vit heureux dans un mystérieux monde souterrain. Le Nix regarde à travers une grosse porte en pierre sculptée. Puis le Nix pleure en frappant à la porte, qui est fermée.

— Oh… murmure Astrid. Le Nix est une pauvre créature solitaire qui cherche à retourner dans son monde souterrain ? Mais toutes ces histoires pour faire peur aux enfants… Tous ces incendies !

— Moi pas méchant, dit le Nix d'une toute petite voix. Moi perdu depuis mille ans, loin de chez moi… Impossible ouvrir grosse porte. Depuis mille ans, moi chercher solution pour rentrer chez moi.

— Comme c'est triste ! dit Astrid. Mais pourquoi me suivais-tu ?

— Moi besoin feu pour me réchauffer. Moi froid, loin du feu. Alors moi trouver feu chez toi, dans ta cheminée... puis chez monsieur forgeron. Moi pas vouloir faire peur !

Le Nix pousse un gros soupir.

— Moi essayer ouvrir porte. Mais quand gros tremblement de terre, torrent de boue faire disparaître la porte...

— Quel tremblement de terre ? demande Astrid.

Fiona lui envoie une nouvelle vision : le sommet du mont Blanc-Manteau s'ouvre en deux sous l'effet des secousses, et cela crée les statues de Bella et Bello.

— Je connaissais la légende de la création du monument, dit Astrid.

Mais cette histoire a dû arriver... il y a plus de trois siècles !

— Moi perdre espoir, explique le Nix. Mais quand moi entendre parler de tes vieux outils... moi plein de joie. Peut-être vieux outils graver images de chevaux sur la porte ! Peut-être vieux outils pouvoir ouvrir porte !

Astrid repense à la porte sculptée qu'elle a découverte au bout du tunnel. *Je ne serais pas étonnée d'apprendre qu'elle a mille ans !* se dit-elle. Maintenant qu'elle connaît mieux le Nix, il ne lui fait plus peur du tout. C'est juste un petit bonhomme malheureux qui aimerait retrouver sa maison !

— Je crois que tu as raison, à propos des outils, dit-elle. Viens te réchauffer devant la cheminée de mon grand-père. Demain matin, on trouvera une solution !

— Voilà porte ! s'exclame le Nix avec un petit bond de joie. Moi bientôt rentrer chez moi !

Astrid, le Nix et Bouchon se tiennent devant la porte en pierre dans la salle sans plafond. Ils se sont levés de bonne heure pour quitter le chalet. Astrid a pris soin d'emporter ses outils en durium dans un sac en toile.

— Génial ! dit-elle. Maintenant, il ne reste plus qu'à trouver le moyen de l'ouvrir !

Astrid sort le marteau et le burin de son sac. Elle place la pointe du burin

dans le pourtour de la porte et donne un grand coup de marteau.

ZZZZZZZZ !

Un bruit de tonnerre accompagne une lumière bleue aveuglante. Astrid est projetée en arrière, les mains brûlantes. Ses outils tombent par terre. Mais la porte n'a pas bougé. Comble du malheur, le burin s'est brisé en morceaux !

— Oh non ! s'écrie Astrid en ramassant ses outils.

— Petite idiote ! lâche une voix de femme autoritaire. La magie qui protège ce lieu est plus forte que ces outils !

Une femme vient d'apparaître devant la porte. Elle est grande, porte de longs cheveux noirs et une armure scintillante. D'une main, elle tient un gros bouclier en argent et, de l'autre, une lance.

C'est une Valkyrie !

Astrid n'en croit pas ses yeux. Elle ressent à la fois de la joie à l'idée de rencontrer une vraie Valkyrie et de la peur en voyant le visage sévère de la femme aux cheveux noirs.

— Astrid, déclare la Valkyrie, est-ce que tu sais ce que tu as fait ?

— Euh... non, avoue la fillette d'une voix timide.

Le visage de la Valkyrie s'adoucit.

— Je te crois. Je sais que tu ne l'as pas fait exprès. Mais ce lieu est sacré. Seuls les membres de la famille Rolanddotter ont le droit d'ouvrir cette porte. Tu n'as pas le droit d'être ici, tu comprends ?

Astrid essaie de lui expliquer l'histoire du Nix.

— Je... je suis désolée, je voulais juste aider...

— Je sais que tu es désolée, Astrid. Maintenant, rentre chez toi et ne reviens plus jamais ici.

— Mais je…

Trop tard. Avant qu'elle puisse terminer sa phrase, le tonnerre retentit une deuxième fois, et la femme aux cheveux noirs disparaît dans un nuage de fumée.

7. La révélation de Fiona

— Ne pleure pas et ne sois pas triste, Nix, dit Astrid pendant le retour au chalet de Nikolas. On trouvera une autre idée. C'est promis !

Mais Astrid est triste pour son nouvel ami. Comment l'aider à rentrer chez lui, maintenant ? Arrivée au chalet, Astrid retrouve Fiona et court à sa rencontre pour presser sa joue contre son museau. Au contact de la chaleur de la jument, elle se sent un peu mieux. Fiona lui envoie une image dans son esprit : le petit groupe redescend la montagne pour se rendre à l'atelier de M. Smithin, le forgeron.

— Venez, dit-elle au Nix et à Bouchon. Fiona veut qu'on retourne au village.

Après avoir dit au revoir à son grand-père, Astrid monte sur la jument et se met en route avec ses amis.

Près de l'entrée du village, elle demande à Fiona de s'arrêter.

— On ferait mieux de cacher le Nix ici, dit-elle. Les gens seront furieux de le revoir, après tout ce qu'il a fait !

Mais Fiona continue à trotter sans ralentir.

— Tu es sûre ? lui demande Astrid.

La jument poursuit son chemin. Astrid ne comprend pas pourquoi, mais elle décide de ne plus lui poser de questions : elle fait confiance à Fiona.

Tous les quatre, ils entrent dans le village et se dirigent vers l'atelier de M. Smithin.

— Astrid ! s'exclame le forgeron. Quelle joie de te revoir ! Mais…

Il lâche ses outils.

— C'est ce petit monstre qui a presque détruit mon atelier ! crie-t-il avec colère.

— Attendez, dit Astrid. Je vais vous expliquer…

Et elle lui raconte l'histoire du Nix. À la fin, M. Smithin a les yeux écarquillés.

— Eh bien… je suppose qu'on devrait faire la paix, dit-il au Nix. Après tout, les amis d'Astrid sont mes amis !

À ces mots, Fiona pousse un hennissement. Elle envoie une image à tout le monde : M. Smithin en train de réparer son fer cassé avec les vieux outils d'Astrid.

— Même avec les outils d'Astrid, je ne peux pas réparer le durium, déclare le forgeron. Le feu de ma forge n'est pas assez chaud !

Fiona agite sa crinière. Elle envoie une autre image : le Nix en train de danser au milieu des flammes de la forge.

— Mais oui ! s'exclame Astrid. Le Nix peut rendre n'importe quel feu plus fort et plus brûlant. Je suis sûre qu'avec son aide, vous pourrez réparer le fer de Fiona !

M. Smithin se frotte le menton, l'air perplexe.

— Hmm... Pourquoi pas ! Entre là-dedans, mon bonhomme, dit-il au Nix.

Le Nix bondit dans les flammes et pousse un cri de joie.

— Ça, meilleur feu de toute ma vie !

Il se met à sautiller. Bientôt, le feu est si brûlant que les parois métalliques de la forge se mettent à gondoler !

— Il faut faire vite ! s'écrie M. Smithin. Sinon, tout va brûler !

En quelques minutes, il répare les outils d'Astrid et les plonge dans un seau d'eau pour les refroidir. La fillette ne quitte pas la forge des yeux : il fait si chaud qu'elle a peur que tout explose ! M. Smithin récupère ensuite le fer de Fiona, qu'il a suspendu à un crochet, et le plonge au milieu des flammes à l'aide d'une pince en durium. Quand il le ressort, le fer à cheval est si brûlant qu'il n'est ni rouge, ni blanc, mais bleu. M. Smithin le pose sur son enclume et s'empare du marteau en durium pour taper dessus.

— Alors, ça marche ? demande Astrid sans quitter la forge des yeux.

— Oui, oui ! répond M. Smithin.

Il prend ensuite les clous du fer à cheval et, après les avoir plongés dans le feu pour les ramollir, les répare aussi à coups de marteau.

— Ça y est, j'ai fini ! dit-il enfin au Nix. Tu peux sortir de là ! Vite, ou mon atelier va prendre feu !

Le Nix obéit sans protester. Aussitôt, les flammes diminuent et retrouvent leur intensité normale.

— Moi si chaud, si chaud ! chantonne gaiement le Nix. Meilleur feu depuis mille ans ! Merci, mes amis !

Astrid lui sourit. Pendant ce temps, M. Smithin soulève le sabot de Fiona pour lui reclouer son fer. La jument donne un coup de sabot sur le sol... et des étincelles jaillissent.

Au même moment, Astrid reçoit en pensée l'image du cercle de pierres où elle a rencontré Ophelia. Elle comprend aussitôt le message de la jument : il faut retourner là-bas pour sauver le Nix !

Bizarre... Pourquoi est-ce que Fiona ne me l'a pas dit plus tôt ? Est-ce à cause de son sabot cassé ? Mais pour la deuxième fois de la journée, Astrid décide de ne pas se poser de questions… et de faire confiance à son amie !

Arrivée au milieu du cercle de pierres, Fiona s'arrête. Astrid descend de cheval et regarde autour d'elle. La petite vallée est exactement comme dans ses souvenirs.

— Et maintenant ? demande le Nix. Moi pas voir porte, ici !

Tout à coup, Fiona hennit et se cabre avant de s'élancer au galop autour du cercle de pierres. Ses sabots jettent des étincelles à chaque pas. Bientôt, la jument court si vite qu'elle ne forme plus qu'un tourbillon rouge autour des pierres.

Émerveillée, Astrid comprend qu'il s'agit d'un rituel magique. Les étincelles provoquées par les sabots de Fiona donnent naissance à des flammes. Fasciné, le Nix se rapproche… et les flammes se jettent sur lui.

— Chaud ! s'écrie-t-il, fou de joie. Moi chaud !

Fiona galope encore plus vite, et le Nix se met à brûler de la tête aux pieds. Alors, sous les yeux stupéfaits d'Astrid, il commence à grandir ! En quelques minutes, il dépasse la fillette, puis les pierres, le toit des maisons du village et l'horloge de la place centrale de Canter Hollow !

— Moi chaud ! Moi fort ! Moi grand ! Youpi !

Il se penche pour prendre le marteau en durium dans son énorme main en flammes, et frappe le sol trois fois. Un bruit assourdissant, comme le tonnerre, retentit. Sous le choc,

la terre tremble et le sol s'ouvre, révélant un lac de lave.

Astrid cache Bouchon au fond de sa poche et court se réfugier sur le rocher le plus proche. Heureusement, le lac de lave ne dépasse pas le cercle de pierres. Soudain, il s'ouvre en deux, révélant l'entrée d'un long tunnel souterrain.

Le Nix va pouvoir rentrer chez lui !

— Au revoir, Astrid ! s'exclame-t-il. Merci, mon amie !

— Au revoir ! Tu vas me manquer ! lui répond la fillette.

Le Nix plonge dans le tunnel et disparaît sous la surface de la Terre. Le sol se referme derrière lui…

Enfin, il a retrouvé le chemin de son monde souterrain !

8. Un souvenir

Quand Astrid rentre au village avec Bouchon sur son épaule, tous les habitants sont réunis pour l'accueillir. Aux cris de joie qui éclatent sur son passage, la fillette comprend qu'ils sont déjà au courant de ce qui s'est passé : M. Smithin leur a expliqué la situation, et tous attendaient son retour avec inquiétude.

Elle avait peur que les gens soient fâchés contre elle parce qu'elle avait aidé le Nix… mais c'est le contraire : le village tout entier l'acclame en héroïne !

Même ses frères fêtent son retour !

— C'est ma sœur ! déclare fièrement Kim.

Mme Sundlo traverse la foule pour aider Astrid à descendre de cheval.

— Ma chérie ! Tu as l'air si fatiguée. Viens, on rentre à la maison !

Astrid, ses frères et ses parents disent au revoir aux villageois et rentrent chez eux. Fiona trotte devant, sur le chemin.

Arrivée dans son jardin, Astrid reçoit l'image de Fiona s'éloignant au galop. Ses yeux se remplissent de larmes : elle comprend que la jument doit partir…

— Tu vas me manquer ! dit-elle.

Fiona frotte son museau contre sa joue. Astrid ne peut pas s'empêcher de pleurer. Mais elle sent aussi une grande joie à la pensée que son amitié avec Fiona durera toujours et qu'elles se reverront sûrement un jour.

— Au revoir, murmure-t-elle en embrassant le museau de la jument.

Et Fiona s'en va au galop.

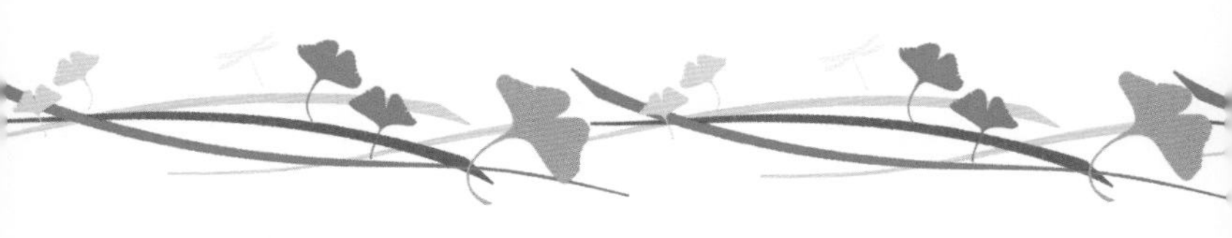

— Que se passe-t-il, Bouchon ? demande Astrid, occupée à éplucher les pommes de terre pour le dîner.

Cela fait plusieurs jours que Fiona est repartie. La famille Sundlo a retrouvé sa vie normale. Mais voilà que Bouchon se met à sautiller sur la table de la cuisine. Astrid le suit jusqu'à l'entrée de la maison.

Quand elle ouvre la porte, elle trouve un long paquet en forme de tube posé sur le paillasson.

— Qu'est-ce que c'est ? demande-t-elle. Mais… mon nom est écrit dessus !

Intriguée, la fillette prend le paquet et va l'ouvrir dans la cuisine. À l'intérieur se trouve un tube en cuir contenant une feuille roulée. Astrid la déroule sur la table et découvre un dessin.

— Mais… c'est moi ! s'exclame-t-elle.

En effet, le dessin montre Fiona, Astrid, Bouchon et le Nix au milieu du cercle de pierres de la vallée :

les sabots de Fiona jettent des étincelles, le Nix est en flammes, et Astrid et Bouchon contemplent le spectacle depuis un rocher.

En bas du dessin, on peut lire la signature de l'artiste : Ophelia True.

Merci, songe Astrid en espérant que la vieille dame recevra ce message par la pensée. Elle sait déjà que ce dessin occupera une place d'honneur sur le mur de sa chambre : chaque fois qu'elle le regardera, il lui rappellera ses meilleurs amis et la plus belle aventure de sa vie.

Maintenant, Astrid sait que les rêves peuvent devenir réalité !

Retrouve toutes les histoires de tes chevaux magiques préférés !

Le destin d'Emma

Le trésor d'Éléonore

La victoire de Marie

Le défi de Clara

Pour découvrir tous les livres de *Bella Sara*
et bien d'autres encore, fonce sur le site :

www.bibliotheque-rose.com

« Pour l'éditeur, le principe est d'utiliser des papiers com posés de fibres naturelles, renouvelables, recyclables et fabriquées à partir de bois issus de forêts qui adoptent un système d'aménagement durable. En outre, l'éditeur attend de ses fournisseurs de papier qu'ils s'inscrivent dans une démarche de certification environnementale reconnue. »

Imprimé en Roumanie par G.Canale & C.S.A
Dépôt légal : janvier 2012
Achevé d'imprimer : avril 2012
20.20.2763.9/02 – ISBN : 978-2-01-202763-3
Loi n° 49956 du 16 juillet 1949
sur les publications destinées à la jeunesse

TABLE